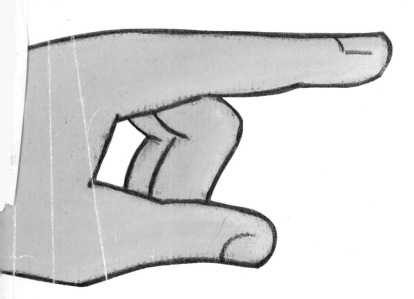

À Lili

J O S S E G O F F I N

Réunion
des Musées
Nationaux

ISBN 2-7118-4646-0 – Production © Rainbow Graphics Intl
Baronian Books, 63 rue Charles Legrelle, 1040 Bruxelles, Belgique
Réunion des Musées Nationaux, 2003.
Imprimé en Malaisie.

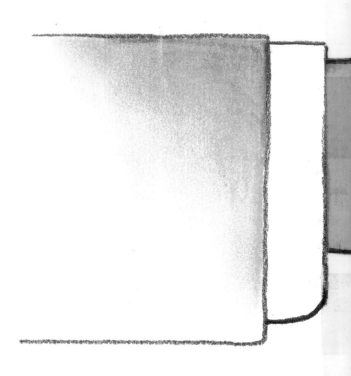

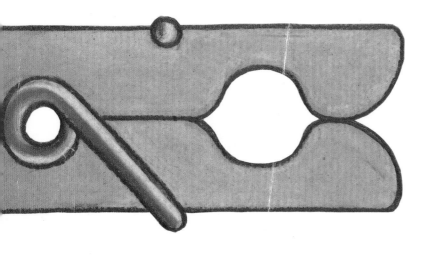

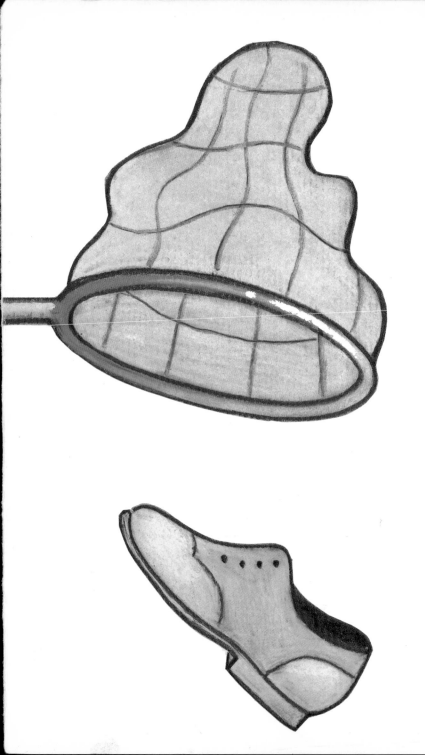

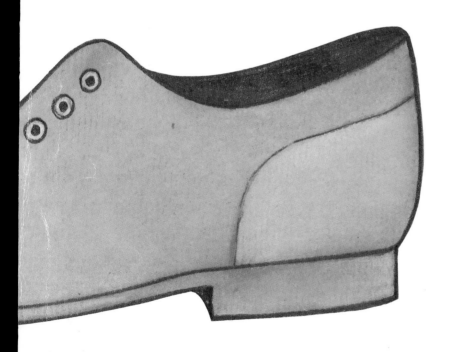

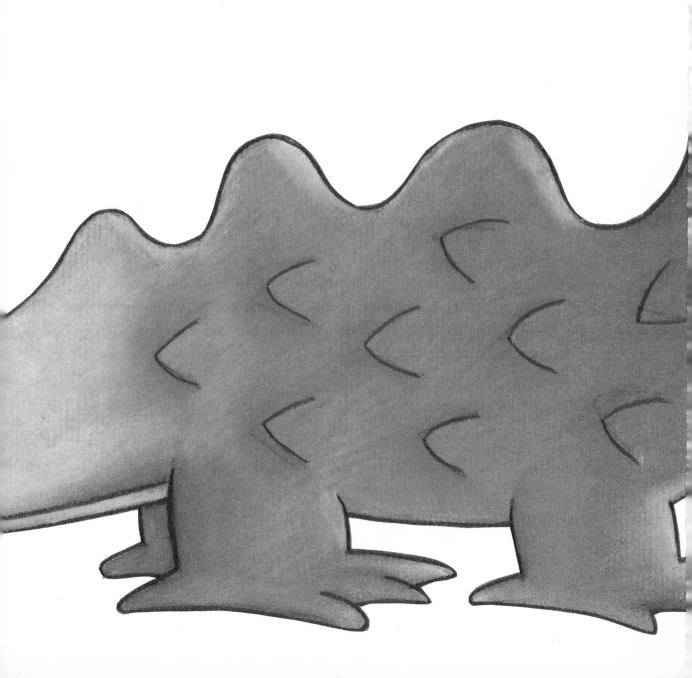

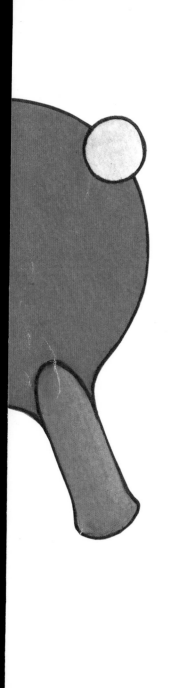